USBORNE ROUND THE WORLD IN GERMAN

With Easy Pronunciation Guide

Carol Watson and Cornelie Tücking
Illustrated by David Mostyn

Pronunciation guide by Gillian M. Adams

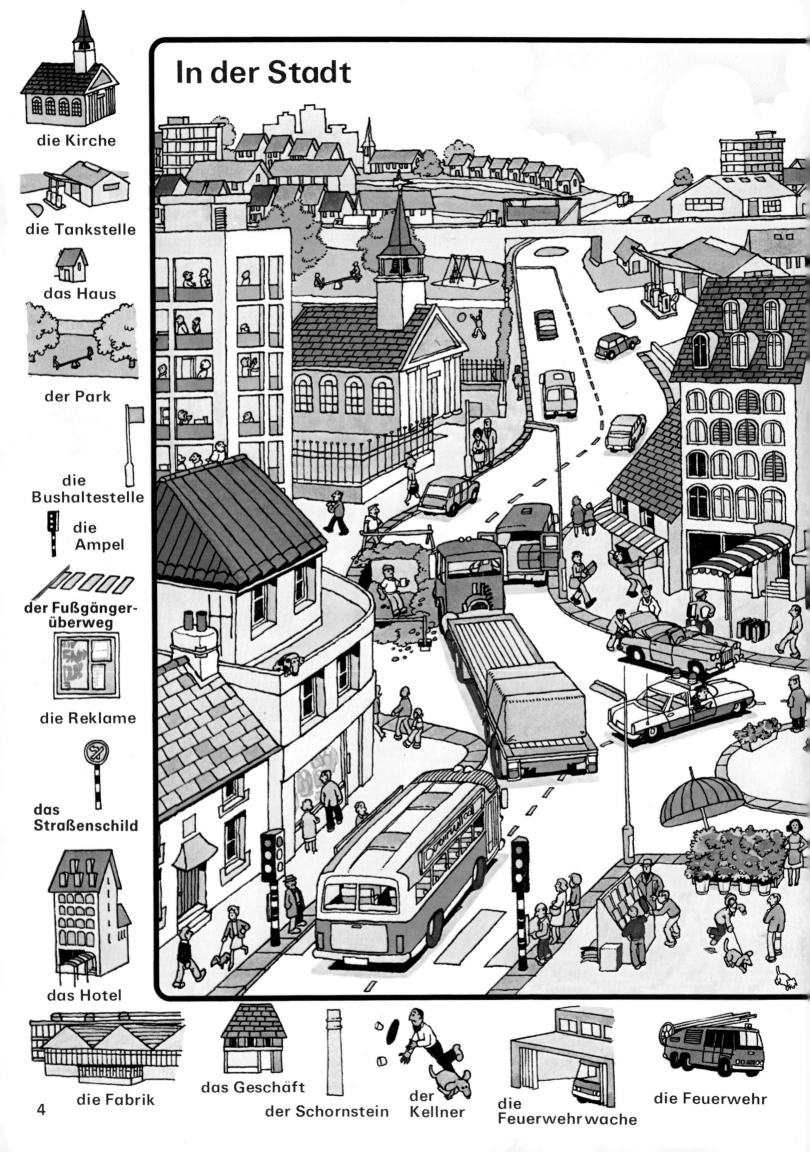

In der Stadt

die Kirche

die Tankstelle

das Haus

der Park

die Bushaltestelle

die Ampel

der Fußgänger-überweg

die Reklame

das Straßenschild

das Hotel

die Fabrik

das Geschäft

der Schornstein

der Kellner

die Feuerwehrwache

die Feuerwehr

4

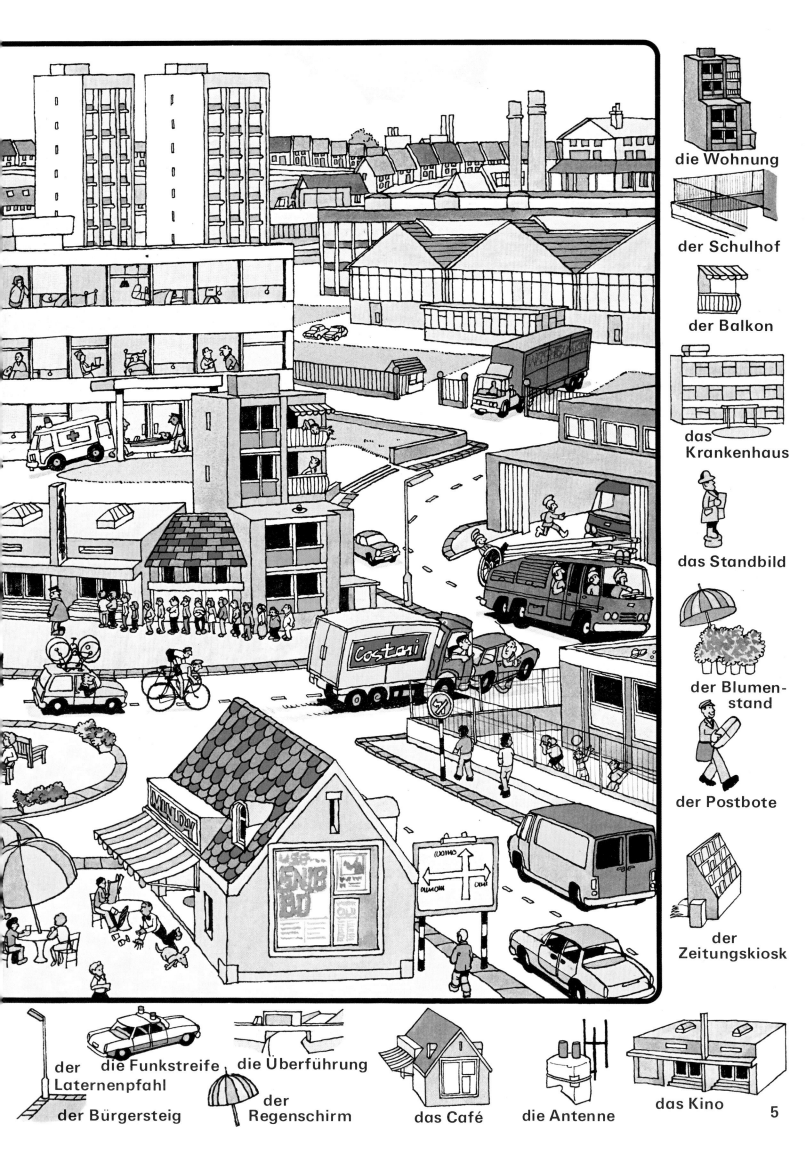

die Wohnung

der Schulhof

der Balkon

das Krankenhaus

das Standbild

der Blumenstand

der Postbote

der Zeitungskiosk

der Laternenpfahl

die Funkstreife

der Bürgersteig

die Überführung

der Regenschirm

das Café

die Antenne

das Kino

5

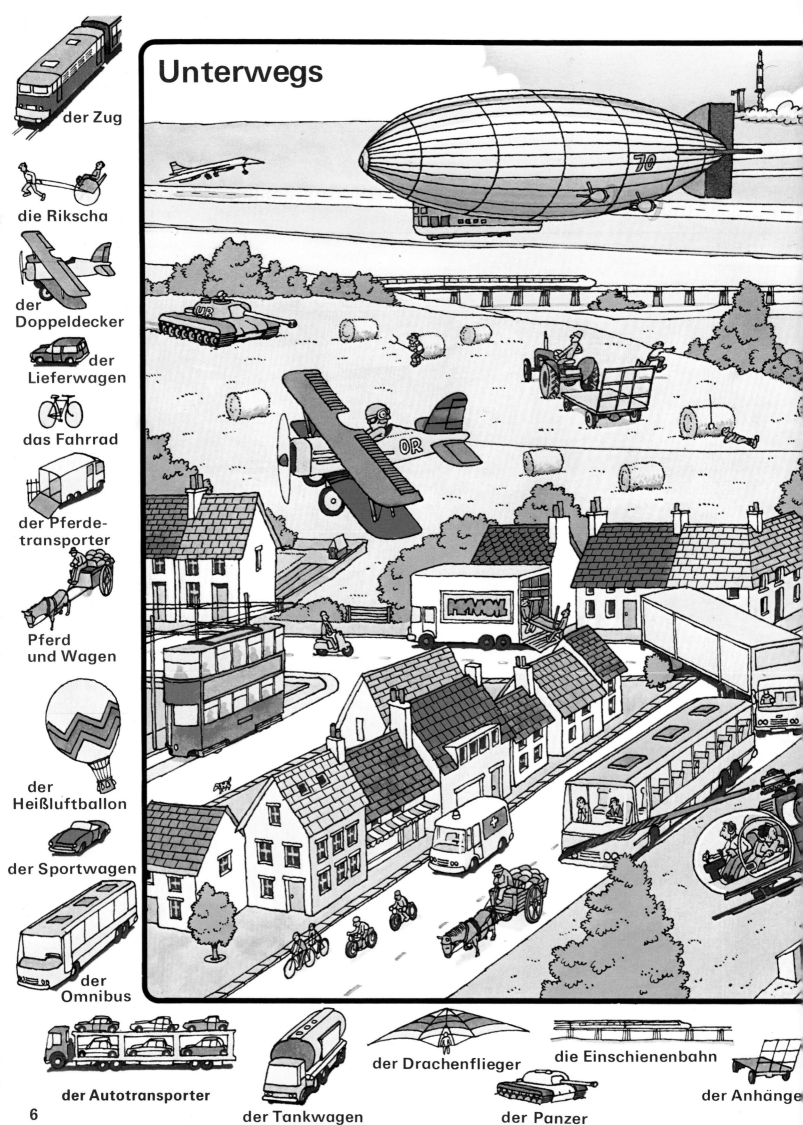

Unterwegs

der Zug

die Rikscha

der Doppeldecker

der Lieferwagen

das Fahrrad

der Pferdetransporter

Pferd und Wagen

der Heißluftballon

der Sportwagen

der Omnibus

der Autotransporter

der Tankwagen

der Drachenflieger

der Panzer

die Einschienenbahn

der Anhänge

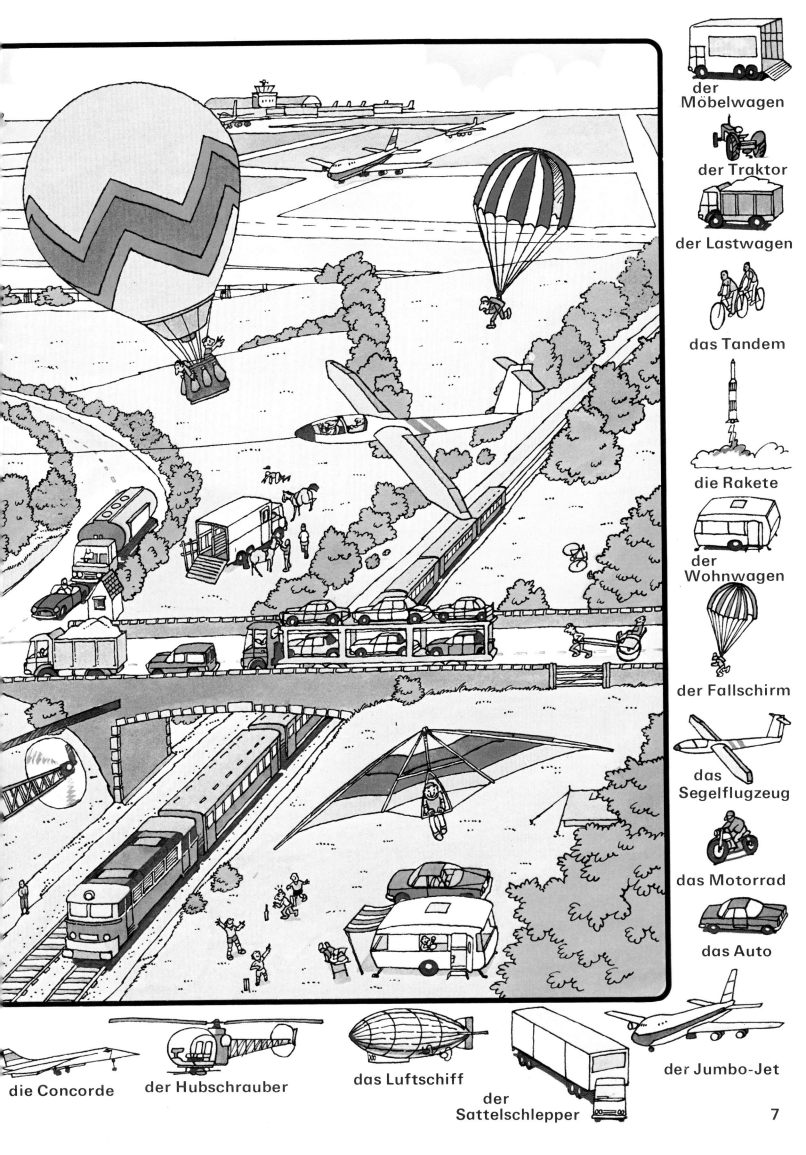

der Möbelwagen

der Traktor

der Lastwagen

das Tandem

die Rakete

der Wohnwagen

der Fallschirm

das Segelflugzeug

das Motorrad

das Auto

der Jumbo-Jet

die Concorde

der Hubschrauber

das Luftschiff

der Sattelschlepper

7

Auf dem Wasser

das Netz

der Picknickkorb

der Fluß

das Wehr

der Kanal

die Binse

das Kanu

die Brücke

die Angelrute

der Angler

der Liegestuhl

8

der Lastkahn

die Ente

das Entchen

der Kanal

das Floß

das Schleusentor

das Motorboot

der Außen-
bordmotor

das
Schlauchboot

der Steg

das Bootshaus

das Schilf

das Hausboot

das Paddel

der Schwimmer

der Kabinen-
dampfer

der Schwan

das Ruderboot

das
Ruder

9

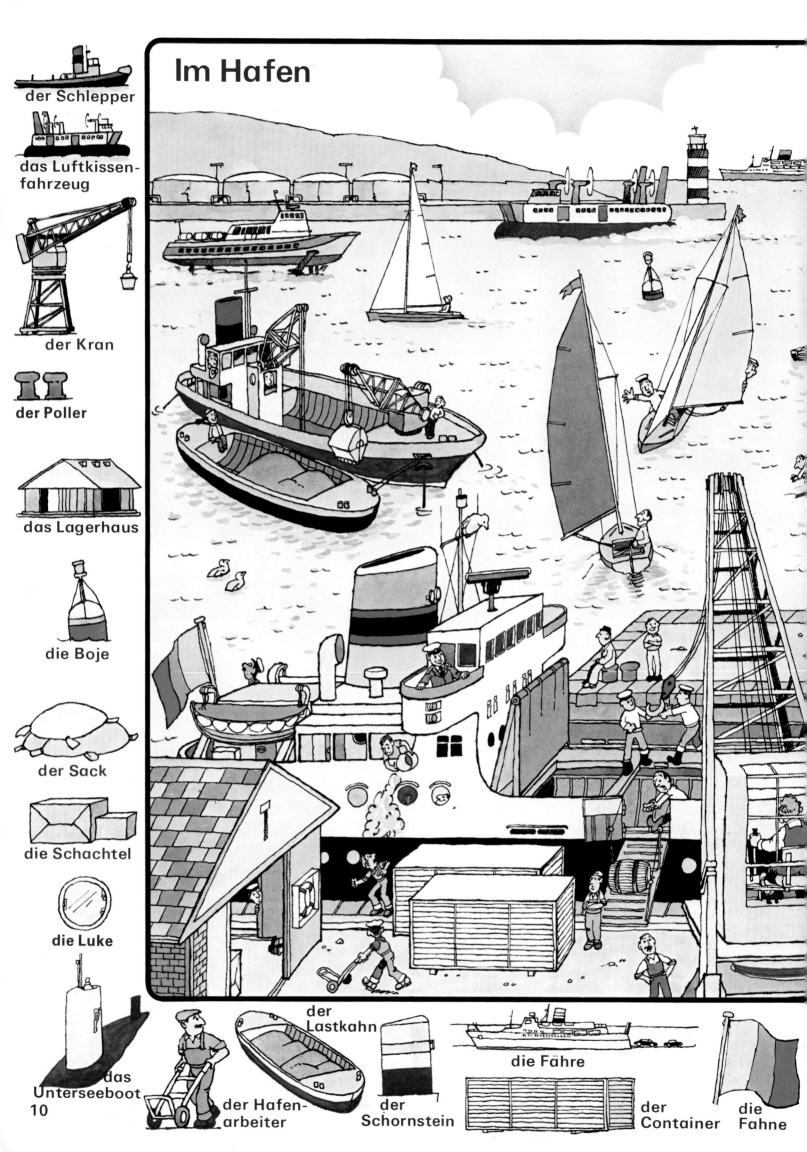

Im Hafen

der Schlepper

das Luftkissen-fahrzeug

der Kran

der Poller

das Lagerhaus

die Boje

der Sack

die Schachtel

die Luke

das Unterseeboot

der Hafen-arbeiter

der Lastkahn

der Schornstein

die Fähre

der Container

die Fahne

10

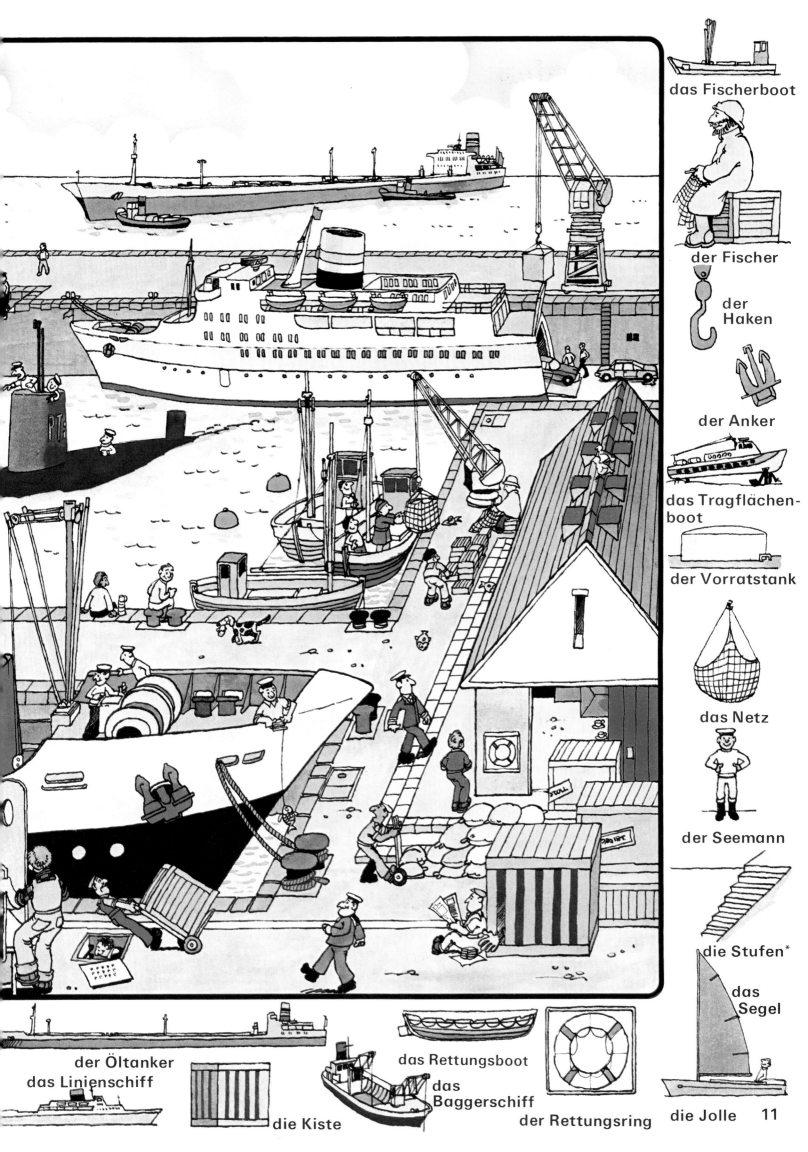

das Fischerboot

der Fischer

der Haken

der Anker

das Tragflächen-
boot

der Vorratstank

das Netz

der Seemann

die Stufen*

das Segel

der Öltanker
das Linienschiff

die Kiste

das Rettungsboot
das Baggerschiff

der Rettungsring

die Jolle   11

Im Gebirge

der Felsen

der Bergsteiger

das Seil

das Schaf

die Ziege

der Adler

der Gipfel

der Eispickel

der Gletscher

der Berglöwe

die Ski*

die Steine*

die Tanne

die Höhle

die Landkarte

der Wanderer

12

der Skilift

der Felsblock

der Rucksack

der Wasserfall

der Bär

das Junge

das Geweih

der Elch

das Blockhaus

der Forst

der Holzfäller

der Feldstecher

der gefällte Baumstamm

die Säge

die Axt

die Bergstiefel*

13

der Esel

der Sattel

die Opossum-ratte

der Nomade

das Kamel

der Fuchs

die Erdölquelle

der Strauß

die Antilope

der Falke

In der Wüste

die Düne

der Sand

der Dornbusch

der Brunnen

die Schildkröte

14

die Gazelle

der Jeep

die Palme

die Decke

der Schädel

das Skelett

die Schlange

der Hase

der Geier

die Lilie

die Ameise

das Zelt

die Oase

die Eidechse

der Skorpion

Im Meer

der Haifisch

die Flosse

der Fisch

die Tauchermaske

das Sauerstoff-gerät

der Sand

die Kiesel*

der Schwamm

der Felsen

das Wrack

die Schatztruhe

das Seil

die Höhle

der Seestern

16

der Taschenkrebs

der Hummer

die Muschel

die Alge

die Auster

die Seeanemone

das Seepferdchen

die Luftblase

der Greifarm

der Tintenfisch

die Qualle

die Flosse

der Taucheranzug

der Taucher

17

der Gorilla

der Bambus

die Schling-
pflanze

der Tukan

die Spinne

der Pfeil

der Jäger

der Laubfrosch

der Schmetterling

Im Dschungel

18   das Kanu

der Wissen-
schaftler

der Pilz

der Jaguar

der Schimpanse

das Chamäleon

die Schlange

die Fledermaus

der Tapir

der Affe

das Krokodil

das Buschbaby

das Faultier

der Papagei

die Spur

die Orchidee

der Kolibri

der Baumstamm

das Blatt

die Seilbrücke

der Ameisenbär

19

Kalte Gebiete

der Eisberg

das Eis

der Eskimohund

die Kapuze

die Harpune

die Schneebrille

der Eiszapfen

der Schneemann

der Schneeball

der Iglu

das Schneeflugzeug

der Eisbrecher

die Seeschwalbe

der Seehund

der Kajak

20

das Rentier

das Walroß

der Eisbär

der Schnee

der Schnee-
traktor

der Schlitten

der Wal

der Polarfuchs

die
Schneeraupe

die Schnee-Eule

die Schneeschuhe*

die
Fäustlinge*

der
Motorschlitten

der Eskimo

21

Der Fasching

das Schild

die Trommel

das Feuer

der Reifen

der Akrobat

die Hexe

der Jongleur

die Perücke

der Schal

die Quaste

das Banner

der Federn-busch

der Helm

die Maske

der Lampion

der Umhang

das Feuerwerk

die Tänzerin

die Stelzen*

der Besenstiel

der Clown

der Ohrring

die Flamme

der Speer

der Baldachin

die Feder

der Luftballon

die Sporen*

die Kerze

die Fahne

der Wagen

23

Musizieren

das Horn

das Schlagzeug

der Trommel-stock

die Kastagnetten*

das Tamburin

die Oboe

der Triangel

die elektrische Gitarre

der Notenständer

der Dirigent

die Orgel

der Sitar

das Akkordeon

die Ziehharmonika

das Xylophon

das Fagott

die Trompete

die Mundharmonika

das Cello

die Baßtuba

die Balalaika

die Geige

der Bogen

das Saxophon

das Becken

die Harfe

die Blockflöte

die Rumbarasseln*

die Klarinette

die Gitarre

die Klingel

die Posaune

das Banjo

die Querflöte

der Dudelsack

der Kontrabaß

das Klavier

25

Essen und Trinken

das Schaschlik

der Pfannkuchen

der Hotdog

der Truthahn

der Pfirsich

die Austern*

die Pommes frites*

der Apfel

das Eis

die Frankfurter Würstchen*

die Spaghetti*

die Pflaume

der Hamburger

das Brot

die Milch

die Tomate

der Kaffee

26

die Erdbeeren*

das Bier

das Sandwich

der Käse

der Fisch

die Pastete

der Tee

der Wein

die Torte

der Wackel-
peter

die
Birne

die Kirschen*

die Limonade

die Schnecken*

der Maiskolben

der Reis

der Salat

27

der Bastrock

die Stiefel*

der Kimono

die Hose*

die Fliege

der Kaftan

die Mütze

die Soutane

die Basken-
mütze

Kleider*

das
Cape

die Melone

der Bolero

die Babuschen*

die Stola

der
Cowboyhut

die
Mütze

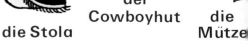

der Trainings-
anzug

der Zylinder

der Poncho

der Kilt

der Sombrero

der Sari

der Fes

der Schleier

die
denstracht

der Frack

der Turban

die Cowboyhose*

die Sandalen*

der Smoking

der Chinesenhut

die Holzschuhe*

der
Raumanzug

29

Erzeugnisse*

der Tabak

der Reis

die Dattel

der Weizen

der Kohl

die Kokusnuß

die Tulpe

die Baumwolle

die Weintrauben*

der Kakao

der Tee

die Ananas

die Sonnenblume

der Kaffee

das Zuckerrohr

die Banane

das Holz

31

Gefahren*

der Eisberg

der Treibsand

die Flutwelle

der Vulkan

das Erdbeben

der Orkan

die Wasserhose

der Waldbrand

die Lawine

der Blitz

der Schneesturm

der Tornado

der Sandsturm

die Überschwemmung

33

Wohnstätten*

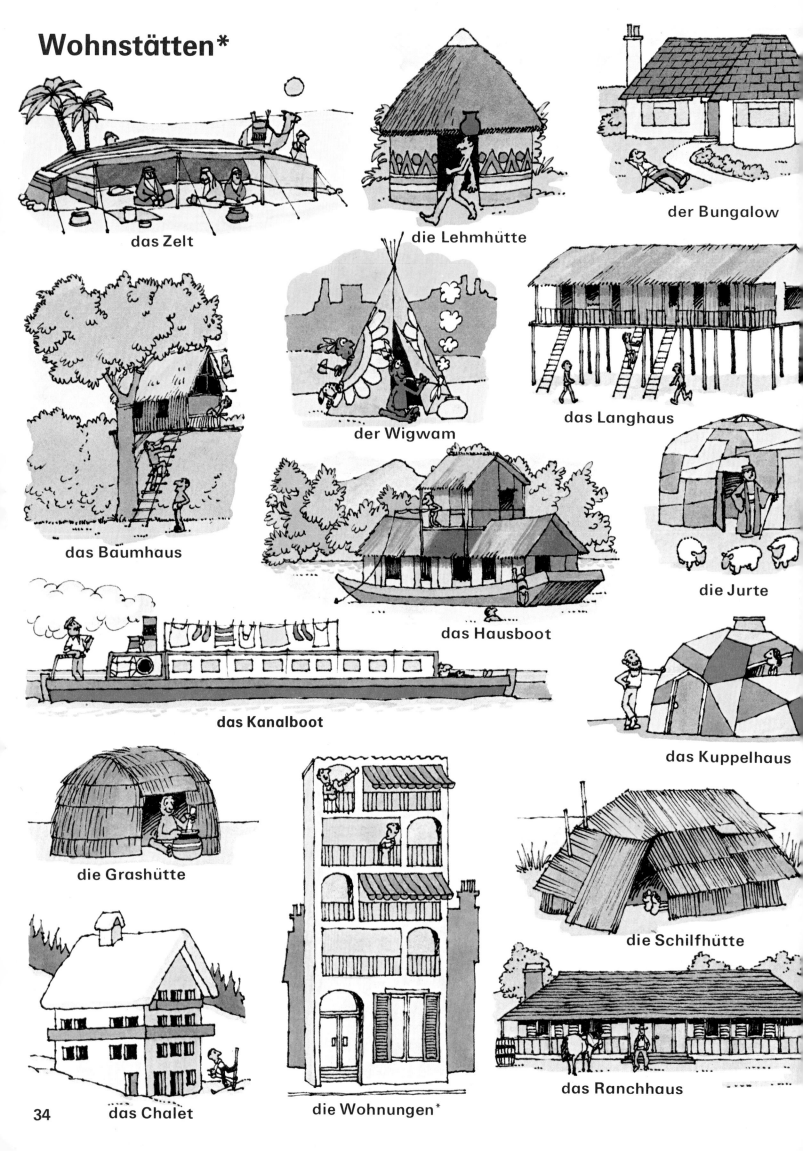

das Zelt

die Lehmhütte

der Bungalow

das Baumhaus

der Wigwam

das Langhaus

das Hausboot

die Jurte

das Kanalboot

das Kuppelhaus

die Grashütte

die Schilfhütte

das Chalet

die Wohnungen*

das Ranchhaus

das Papierhaus

der Leuchtturm

der Bauernhof

das Felsenhaus

der Zigeunerwagen

das Landhaus

der Pfahlbau

die Burg

das Fort

das Blockhaus

der Sampan

das Reihenhaus

35

Tiere*

der Orang-Utan

der Bison

der Wombat

der Koala

das Seidenäffchen

der Löwe

der Bib

der Yak

die Riesenschildkröte

das Nilpferd

der Waschbär

das Zebra

der Elefant

das Backenhörnchen

der Dachs

der Delphin

der Gibb

der Große Panda

das Lama

der Tiger

das Stinktier

das Gnu

der Lemur

das Stachelschwein

die Hyäne

der Pavian

das Gürteltier

das Känguruh

die Giraffe

der Wolf

der Leopard

das Nashorn

37

Berühmte Gebäude* und Orte*

1   Neuschwanstein
– Deutschland

2   die Golden Gate Brücke
– Vereinigte Staaten
von Amerika

3   der Schiefe Turm von P
– Italien

4   die Blaue Moschee
– Iran

5   das Opernhaus von Sydney
– Australien

7   Mount Everest
– Nepal

6   die Niagara Fälle
– Vereinigte Staaten von
Amerika und Kanada

9   Stonehenge
– England

8   der Eiffelturm
38   – Frankreich

10   St.-Basilius-Kathedrale
– Sowjetunion

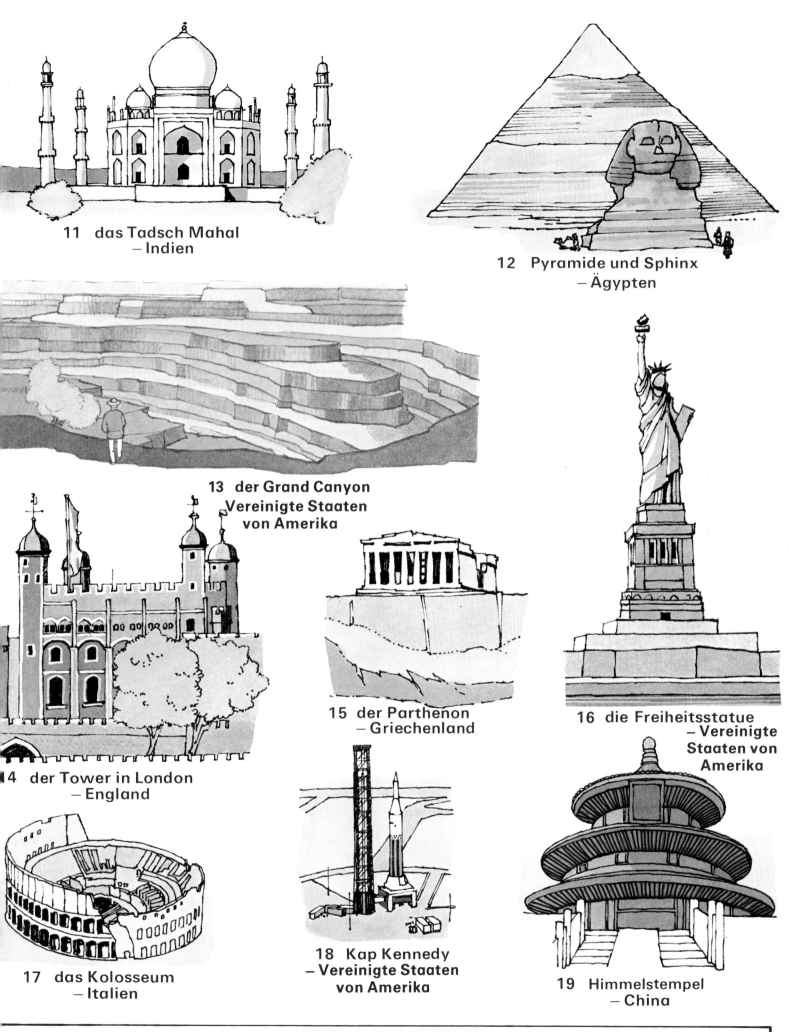

11 das Tadsch Mahal
— Indien

12 Pyramide und Sphinx
— Ägypten

13 der Grand Canyon
Vereinigte Staaten
von Amerika

14 der Tower in London
— England

15 der Parthenon
— Griechenland

16 die Freiheitsstatue
— Vereinigte
Staaten von
Amerika

17 das Kolosseum
— Italien

18 Kap Kennedy
— Vereinigte Staaten
von Amerika

19 Himmelstempel
— China

Look at the map on the next two pages. Match up the numbers to find out where the buildings and places are in the world.

Die Weltkarte

ALASKA

der Eskimo

GRÖNLAND

der Iglu

NORDPOLARMEER

KANADA

das Fischerboot

6

9

8

1

VEREINIGTE
STAATEN
VON
AMERIKA

die
Rakete

16

das Luftkissen-
fahrzeug

EUROPA

3

17

2

13

15

die Concorde

18

ATLANTISCHER OZEAN

AFR

SÜDAMERIKA

das Linienschiff

PAZIFISCHER OZEAN

Can you name the animals?

You can find them in this book.

die Jolle

40

The numbers on the map show where the famous buildings and places are to be found. See pages 38 and 39.

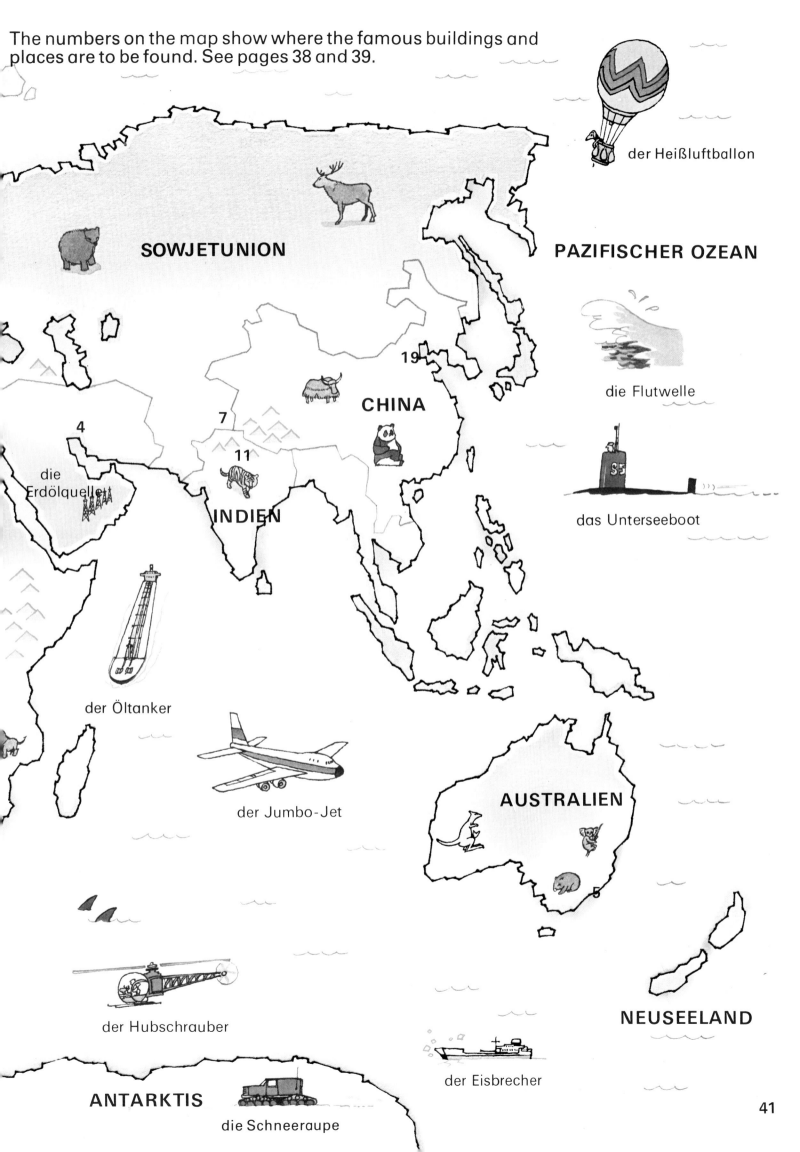

der Heißluftballon

SOWJETUNION

PAZIFISCHER OZEAN

die Flutwelle

19

CHINA

7

4

11

die Erdölquellen

das Unterseeboot

INDIEN

der Öltanker

der Jumbo-Jet

AUSTRALIEN

5

der Hubschrauber

NEUSEELAND

der Eisbrecher

ANTARKTIS

die Schneeraupe

41

Index

On this page is the start of the alphabetical list of all the words in the pictures in this book. The German word comes first, then there is its pronunciation in *italics*, followed by the English translation.

Although some German words look like English ones, they are not pronounced in the same way. And some letters have different sounds. In German, *w* sounds like English *v*, *v* sounds like *f*, *z* like *ts*, and *j* like *y* in young. There are also some sounds in German which are quite unlike sounds in English.

The pronunciation is a guide to help you say the words correctly. They may look funny or strange. Just read them as if they are English words, except for these special rules:

ah — is said like *a* in *farther*

a — is said like *ah* but shorter

ow — is like *ow* in *cow*

ew — is different from any sound in English. To make it say *ee* with your lips rounded

ee — is like *ee* in *week*

ay — is like *ay* in *day*

y — is like *y* in *try,* except when it comes before a vowel. Then it sounds like *y* in *young*

g — as *g* in *garden*

ch — is said like *ch* in the Scottish word *loch*

kh — is said like the *h* in *huge*

r — is made at the back of your mouth and sounds a little like gargling

e(r) — is like the *e* in th*e* (not *thee*). When the *r* is in brackets *(r),* it is not said

u(r) — is like *i* in *bird.* The *r* is not said

$\overline{oo}$ — is a short vowel, like in *foot*

oo — is a long vowel, like in *food*

There are some exceptions to these rules. eg poncho, garage, ranch-haus.

der Adler	*derr ahdler*	eagle
der Affe	*derr affe(r)*	monkey
Afrika	*africa*	Africa
Ägypten	*egipten*	Egypt
das Akkordeon	*dass accordayon*	accordion
der Akrobat	*derr acrobat*	acrobat
Alaska	*alaska*	Alaska
die Alge	*dee alge(r)*	seaweed
die Ameise	*dee amyse(r)*	ant
der Ameisenbär	*derr amysenbear*	anteater
am Eismeer	*am eyss-mair*	on the polar sea
die Ampel	*dee ampel*	traffic light
die Ananas	*dee ananass*	pineapple
die Angelleine	*dee angel-lyne(r)*	fishing line
die Angelrute	*dee angel-roote(r)*	rod
der Angler	*derr angler*	fisherman
der Anhänger	*derr anhenger*	trailer
der Anker	*derr anker*	anchor
die Antarktis	*dee antarktiss*	Antarctica
die Antilope	*dee anteelope(r)*	antelope
die Antenne	*dee antenne(r)*	aerial
der Apfel	*derr apfel*	apple
der Atlantische Ozean	*derr atlantishe(r) oatsayan*	Atlantic Ocean
auf dem Wasser	*owf dem vasser*	on the water
die Auster	*dee owster*	oyster
der Außenbordmotor	*derr owssenboardmotor*	outboard motor
Australien	*owstralien*	Australia
das Auto	*dass owto*	car
der Autotransporter	*derr owto-transporter*	transporter
die Axt	*dee axt*	axe
die Babyhaube	*dee baby-howbe(r)*	baby bonnet
das Backenhörnchen	*dass ba-kenhu(r)n-khen*	chipmunk
das Baggerschiff	*dass bagge(r)-shiff*	dredger
die Balalaika	*dee balalyke(r)*	balalaika
der Baldachin	*derr baldachin*	canopy
der Balkon	*derr balkoan*	balcony
der Ballon	*derr balloan*	balloon
der Bambus	*derr bambōōss*	bamboo
die Banane	*dee banane(r)*	banana
das Banjo	*dass banjo*	banjo
das Banner	*dass banne(r)*	banner
der Bär	*derr bear*	bear
die Baskenmütze	*dee bassken-mewtse(r)*	beret
die Baßtuba	*dee bass-tooba*	tuba
der Bastrock	*derr bast-rock*	grass skirt
der Bauernhof	*derr bowern-hoaf*	farmhouse
der Baum	*derr bowm*	tree
das Baumhaus	*dass bowm-howss*	tree house
der Baumstamm	*derr bowm-shtamm*	log, trunk
die Baumwolle	*dee bowm-volle(r)*	cotton
das Becken	*dass becken*	cymbal
die Beduinen (m)	*dee bedooeenen*	Bedouins

der Kimono	derr kimono	kimono
das Kino	dass keeno	cinema
die Kirche	dee keerkhe(r)	church
die Kirsche	dee keershe(r)	cherry
die Kiste	dee kiste(r)	crate
die Klarinette	dee klarinette(r)	clarinet
das Klavier	dass klaveer	piano
das Kleid	dass klyte	dress
Kleider	klyder	clothes
die Klingel	dee klingel	handbell
der Koalabär	derr koala-bear	koala bear
der Kohl	derr coal	cabbage
die Kokosnuß	dee kokoss-nōoss	coconut
der Kolibri	derr kolibree	humming bird
das Kolosseum	dass kolo-say-oom	Colosseum
der Kontrabaß	derr kontra-bass	double bass
der Krake	derr krahke(r)	octopus
der Kran	derr krahn	crane
das Krankenhaus	dass kranken-howss	hospital
der Krebs	derr kreps	crab
das Krokodil	dass kroko-deel	crocodile
das Kuppelhaus	dass kōopel-howss	dome house
das Lagerhaus	dass lahger-howss	warehouse
das Lama	dass lama	llama
der Lampion	derr lampee-oan	lantern
das Landhaus	dass lant-howss	cottage
die Landkarte	dee lant-karte(r)	map
das Langhaus	dass lang-howss	longhouse
der Lastkahn	derr last-kahn	barge
der Lastwagen	der last-vahgen	lorry
die Laterne	dee laterne(r)	lantern
der Laternenpfahl	derr laternen-pfahl	lamp post
der Laubfrosch	der lowp-frosh	tree frog
die Lawine	dee laveene(r)	avalanche
die Lehmhütte	dee laym-hewte(r)	mud hut
der Lemur	derr laymoor	lemur
der Leopard	derr layo-part	leopard
der Leuchtturm	derr loykht-toorm	lighthouse
der Lieferwagen	derr leefer-vahgen	van
der Liegestuhl	derr leege(r)-shtool	deck chair
die Lilie	dee leelee-e(r)	lily
die Limonade	dee limonahde(r)	lemonade
das Linienschiff	dass leenien-shiff	liner
der Löwe	derr lu(r)ve(r)	lion
der Luftballon	derr lōoft-balloan	balloon
die Luftblase	dee lōoft-blahze(r)	bubble
das Luftkissen-fahrzeug	dass lōoft-kissen-far-tsoyk	hovercraft
das Luftschiff	dass lōoft-shiff	
der Maiskolben	derr myss-colben	corn on the cob
die Maske	dee maske(r)	mask
das Meer	dass mair	sea
die Melone	dee meloane(r)	bowler hat
die Milch	dee milkh	milk
der Möbelwagen	derr mu(r)bel-vahgen	removal van
die Moschee	dee moashay	mosque
das Motorboot	dass motor-boat	motorboat
das Motorrad	dass motor-raht	motorcycle
der Motorschlitten	derr motor-shlitten	snowmobile
Mount Everest	mount everest	Mount Everest
die Mund-harmonika	dee mōont-harmonika	harmonica
die Muschel	dee mōoshel	shell
die Musik	dee moozeek	music
musizieren	moozitseeren	music making
die Mütze	dee mewtse(r)	cap, bonnet
die Naturkatastrophe	dee natoor-katstroafe(r)	natural disaster
das Nashorn	dass nahz-horn	rhinoceros
Nepal	nepahl	Nepal
das Netz	dass nets	net
Neuschwanstein	noy-shvahn-shtyne	Ludwig's Castle
Neuseeland	noy-zay-lant	New Zealand
die Niagara Fälle	dee nyagara-felle(r)	Niagara Falls
das Nilpferd	dass neel-pfert	hippopotamus
der Nomade	derr nomahde(r)	nomad
das Nordpolar Meer	dass nort-polar mair	Arctic Ocean
der Notenständer	derr noaten-shtender	music stand
die Oase	dee o-ahze(r)	oasis
die Oboe	dee oa-boa-e(r)	oboe
der Ohrring	derr oar-ring	earring
der Öltanker	derr u(r)l-tanker	oil tanker
der Omnibus	derr omni-bōoss	bus
das Opernhaus von Sydney	dass opern-howss fon Sidnee	Sydney Opera House
die Opossumratte	dee opossōomratte	opossum
der Orang-Utan	derr oarang-ōotahn	orang-utan
die Orchidee	dee oar-chi-day	orchid
die Ordenstracht	dee oardenz-tracht	habit (nun's)
die Orgel	dee oargel	organ
der Orkan	derr oarkahn	hurricane
der Ort	derr oart	place
das Paddel	dass paddle	paddle
die Palme	dee palme(r)	palm tree
der Panzer	derr pantser	tank
der Papagei	derr papagye	parrot
das Papierhaus	dass papeer-howss	paper house
der Park	derr park	park
der Parthenon	derr partenon	The Parthenon
die Pastete	dee pastayte(r)	pie
der Pavian	derr pafee-ahn	baboon
der Pazifische Ozean	derr pats-ifishe(r) oatsayan	Pacific Ocean
die Perücke	dee perewke(r)	wig
der Pfahlbau	derr pfahl-bow	stilthouse
der Pfannkuchen	derr pfan-koochen	pancake
der Pfeil	derr pfyle	arrow
das Pferd	dass pfert	horse
Pferd und Wagen	pfert ōont vahgen	horse and cart

der Pferde-transporter	derr pferde(r)-transporter	horse box
der Pfirsich	derr pfeerzikh	peach
die Pflanze	dee pflantse	plant
Pflanzen* aus aller Welt	pflantsen owss aller velt	plants from around the world
die Pflaume	dee pflowme(r)	plum
der Picknickkorb	derr picnic-korp	hamper (picnic)
der Pilz	derr pilts	mushroom
der Polarfuchs	derr polar-foochs	white fox
der Poller	derr poller	bollard
die Pommes frites	dee pom-freet	chips
der Poncho	derr poncho	poncho
die Posaune	dee poazowne(r)	trombone
der Postbote	derr post-boate(r)	postman
die Pyramide	dee purameede(r)	pyramid
die Qualle	dee kvalle(r)	jellyfish
die Quaste	dee kvaste(r)	tassel
die Querflöte	dee kvair-flu(r)te(r)	flute
die Rakete	dee rakayte(r)	rocket
das Ranchhaus	dass ranch-howss	ranch house
der Raumanzug	derr rowm-antsook	space suit
der Regenschirm	derr raygen-sheerm	umbrella
der Reifen	derr ryfen	hoop
das Reihenhaus	dass ryen-howss	terraced house
der Reis	derr ryss	rice
die Reklame	dee reklahme(r)	advertisement
das Rentier	dass renteer	reindeer
das Rettungsboot	dass rettoongz-boat	lifeboat
der Rettungsring	derr rettoongz-ring	lifebelt
die Rikscha	dee riksha	rickshaw
der Rucksack	deer rook-zack	haversack
das Ruder	dass rooder	oar
das Ruderboot	dass rooder-boat	rowing boat
die Rumbarasseln*	dee roomba-rasseln	maracas
der Sack	derr zack	sack
die Säge	dee zayge(r)	saw
der Salat	derr zalaht	salad
der Sampan	derr zampan	sampan
der Sand	derr zant	sand
die Sandale	dee zandahle(r)	sandal
der Sandsturm	derr zant-shtoorm	sandstorm
das Sandwich	dass sandwich	sandwich
der Sari	derr zah-ree	sari
der Sattel	derr zattel	saddle
der Sattelschlepper	derr zattel-shlepper	juggernaut
das Sauerstoffgerät	dass zower-shtoff-geret	aqualung
das Saxophon	dass zaxofoan	saxophone
die Schachtel	dee shachtel	box
der Schädel	derr shedel	skull
das Schaf	dass shahf	sheep
der Schal	derr shahl	scarf
das Schaschlik	dass shashleek	shish kebab
die Schatztruhe	dee shats-roo-e(r)	treasure chest
der Schiefe Turm von Pisa	derr sheefe(r) toorm fon peeza	The Leaning Tower of Pisa
das Schild	dass shilt	shield
die Schildkröte	dee shilt-kru(r)te(r)	tortoise, turtle
das Schilf	dass shilf	reeds
die Schilfhütte	dee shilf-hewte(r)	reed house
der Schimpanse	derr shim-pan-ze(r)	chimpanzee
der Schlafanzug	derr shlahf-antsook	pyjamas
das Schlagzeug	dass shlagsook	kettle drum
die Schlange	dee shlange(r)	snake
das Schlauchboot	dass shlowch-boat	rubber dinghy
der Schleier	derr shlye(r)	yashmak
der Schlepper	derr shlepper	tug boat
das Schleusentor	dass shloyzen-toar	lockgates
die Schlingpflanze	dee shling-pflantse(r)	creeper
der Schlitten	derr shlitten	sledge
der Schlittenhund	derr shlitten-hoont	husky
der Schmetterling	derr shmetterling	butterfly
die Schnecke	dee shnecke(r)	snail
der Schnee	derr shnay	snow
der Schneeball	derr shnay-ball	snowball
die Schneebrille	dee shnay-brille(r)	goggles
die Schnee-Eule	dee shnay-oyle(r)	snowy owl
das Schnee-flugzeug	dass shnay-flook-tsoyk	ski-plane
der Schneemann	derr shnay-man	snowman
die Schneeraupe	dee shnay-rowpe(r)	snow-cat
der Schneeschuh	derr shnay-shoo	snowshoe
der Schneesturm	derr shnay-shtoorm	snowstorm
der Schneetraktor	derr shnay-traktoar	snowtractor
der Schornstein	derr shorn-shtyne	chimney, funnel
der Schulhof	derr shool-hoaf	playground
der Schwamm	derr shvamm	sponge
der Schwan	derr shvahn	swan
die Schweiz	dee shvyts	Switzerland
die Seeanemone	dee zay-an-emoaner	sea anemone
der Seehund	derr zay-hoont	seal
der Seemann	derr zay-man	sailor
das Seepferdchen	dass zay-pfert-khen	seahorse
die Seeschwalbe	dee zay-shvalbe(r)	tern
der Seestern	derr zay-shtairn	starfish
das Segel	dass zaygel	sail
das Segelflugzeug	dass zaygel-flook-tsoyk	glider
das Seidenäffchen	dass zyden-eff-khen	marmoset
das Seil	dass zyle	rope
die Seilbrücke	dee zyle-brewke(r)	rope bridge
der Sitar	derr zeetar	sitar
das Skelett	dass skelet	skeleton
der Ski	derr shee	ski
der Skilift	derr shee-lift	ski lift
der Skorpion	derr skorpee-oan	scorpion
der Smoking	derr smoking	tuxedo, dinner jacket
der Sombrero	derr zombrero	sombrero
die Sonnenblume	dee zonnen-bloome(r)	sunflower
die Soutane	dee zoo-tahne	cassock
die Sowjetunion	dee soviet-oonion	Soviet Union
der Spaghetti	derr shpagetti	spaghetti
die Spaghetti*	dee shpagetti	spear
die Sphinx	dee sfinx	The Sphinx
die Spinne	dee shpinne(r)	spider